LATA de SAL

Carmen
Corrales
*La caja
más grande
del mundo*

Título original: *La caja más grande del mundo*
© del texto y de las ilustraciones: Carmen Corrales

© Lata de Sal Editorial, 2016

www.latadesal.com
info@latadesal.com

© del diseño de la colección y de la maquetación: Aresográfico

ISBN: 978-84-945647-5-8
Depósito legal: M-26785-2016
Impreso en China

Este libro está hecho con papel FSC® offset de 140 g,
encuadernado en cartoné al cromo plastificado mate
en papel FSC® de 157 g sobre cartón de 2,5 mm.
Está escrito con tipografía Eames Century Modern.
Sus dimensiones son 220 × 220 mm.

Y Logan y Chasis también coleccionan cajas: cajas de libros.

A todos los gatos de mi vida, en especial a Leonora.
Y a mi hermana por su apoyo incondicional.

La caja más GRANDE del mundo

Carmen Corrales

LATAdeSAL
Gatos

A Leonora le gusta coleccionar cosas.

Le gusta coleccionar cucarachas,

plumas de pichón,

madejas...

Pero lo que más le gusta es coleccionar cajas.

Muchas cajas.

Un día encontró la caja
más grande del mundo.

¡Tenía que
ser suya!

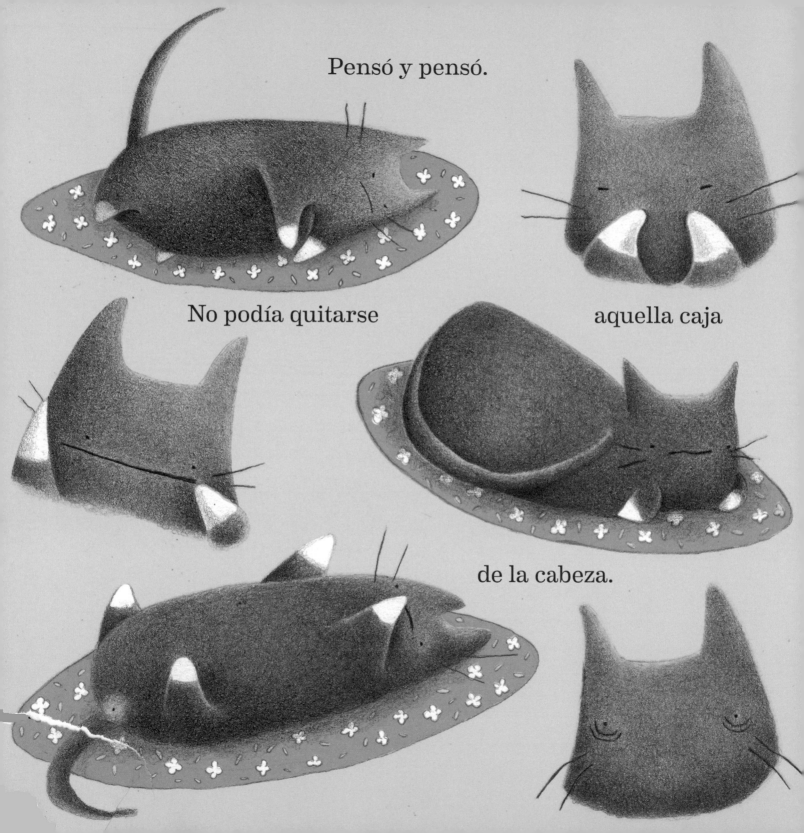

Pensó y pensó.

No podía quitarse

aquella caja

de la cabeza.

¡Y decidió ir a buscarla!

Pero

¿dónde

la pondría?

Y miró

a su apretado

alrededor.

Se deshizo de sus cucarachas,

de sus plumas de pichón,

de sus madejas...

y de todas sus cajas.

¡Fue corriendo por la caja
más grande del mundo!

Ya no estaba.

Volvió a su casa

y miró su vacío alrededor.

Pero el vacío no era tan malo, después de todo.

Leonora empezó a disfrutarlo.

Aunque un par de plumas
no le hacen mal a nadie.